João Trindade Cavalcante

A LÍNGUA NO BOLSO

(Dicas de Português para Todas as Ocasiões)

Editora GRAN CURSOS
Encanto das Letras

Brasília/2010

João Trindade Cavalcante

A LÍNGUA NO BOLSO

(Dicas de Português para Todas as Ocasiões)

Editora
GRAN CURSOS
Encanto das Letras

Brasília/2010

Editora GRAN CURSOS
Encanto das Letras

TRINDADE, João Cavalcante.
A Língua no Bolso – Dicas de Português para Todas as Ocasiões.
João Trindade Cavalcante – 1ª ed.
Brasília: Editora Gran Cursos, 2010.

124 p.

ISBN:978-85-8016-001-7

1. Brasil: A Língua no Bolso – Dicas de Português para Todas as Ocasiões.

CDD 469

Editora Gran Cursos.
SIG, Quadra 06, n. 1435, Brasília-DF
Cep.: 70.610-460
Tel.: 0800-6017770
faleconosco@editoragrancursos.com.br

Primeiras Palavras

Por onde passo, diversas pessoas me cobram um livro que não seja tradicional, maçante e sirva para diversas finalidades, com linguagem simples, sem formalismos.

Relacionei, então, as dúvidas mais frequentes e resolvi escrever este livro, que pode ser lido a qualquer momento, em qualquer lugar (já que o formato é de bolso) e serve para estudantes (de quaisquer níveis), professores, profissionais de diversas áreas (sobretudo das áreas de comunicação e afins) e, também, para qualquer pessoa interessada em, simplesmente, aprender nosso idioma ou revisar pontos de que já se esqueceu.

Naturalmente, por não ser uma "gramática", não abrange todos os assuntos. Mas uma coisa garanto, leitor: para muitas de suas dúvidas, você encontrará a solução aqui.

Ah, e não se esqueça de mantê-lo sempre no bolso.

João Trindade Cavalcante

01 de Junho de 2010

A Suely, João Trindade Filho e José Trindade Neto: meus de todos os dias, santos do meu oratório.

À minha mãe, Cecília Cavalcante (in memoriam), que soube, ao longo dos anos, aturar as minhas intempestividades.

Ao meu pai, José Trindade Monteiro (in memoriam): mistura maravilhosa de enxada e poesia.

Ao meu filho João Trindade Cavalcante Filho, a cujo empenho devo este voo em nível nacional.

A José Wilson Granjeiro, pela oportunidade e confiança.

SUMÁRIO

1

VERBO HAVER

No sentido de EXISTIR, só fica na terceira pessoa do singular; jamais em outra. É errado dizer:

Houveram vários problemas na reunião. O certo é:

Houve vários problemas na reunião.

Desde que não esteja no sentido de tempo, ou existência, o verbo **haver** flexiona normalmente:

O juiz **houve** por bem diminuir a pena do réu.

Os juízes **houveram** por bem diminuir a pena do réu.

2

Verbo FAZER

No sentido de tempo, só admite a terceira pessoa do singular. É errado dizer:

Fazem dez anos da morte dela.
O certo é:
Faz dez anos da morte dela.

3

Verbos Impessoais

Os verbos impessoais (aqueles que não têm sujeito) transmitem a **impessoalidade** aos auxiliares. Você não deve dizer:

Vão fazer dez anos da morte dela.

E sim:

Vai fazer dez anos da morte dela.

Assim como não pode dizer:

Devem haver razões para aquela atitude.

Mas sim:

Deve haver razões para aquela atitude.

OBSERVAÇÃO:

O único verbo impessoal que admite flexão é o verbo **ser**:

Era uma hora da manhã.
Eram duas horas da manhã.

4

Trema

Deixou de existir na Língua portuguesa. Agora, devemos escrever assim:

cinquenta;
frequência;
frequentemente;
consequência;
linguiça;
tranquilo;
tranquilamente, etc.

Manteve-se porém, o trema em palavras estrangeiras: Citröen; Büdchen; Müller, etc.

ATENÇÃO!

A pronúncia continua como antigamente (o **u** deve ser pronunciado). Pronuncia-se, ainda, [cinqüenta], [lingüiça]...

OBSERVAÇÃO:

A palavra cincoenta não existe!

5

GRATUITO

Não existe "gratuíto", mas sim **gratuito** (ui); assim como o certo é **fortuito**, **fluido** (e não, fluído) de freio.

Observe:

Num caso **fortuito**, o juiz optou pela justiça gratuita.

Não se deve confundir fluido (substantivo) com a forma verbal fluído.

O **fluido** de freio estava vencido, porque o tempo havia fluído bastante.

ATENÇÃO!

O certo é **rubrica** (o som forte é no **i**), e não “rúbrica”.

6

VERBO REAVER

Conjuga-se pelo verbo **haver**, mas só existe nas formas em que este contiver a letra **v**. Diremos:

Ele **reouve** (e não, reaviu) os documentos perdidos. Eu reouve (e não, reavi) os documentos perdidos.

Haver	**Reaver**
Pretérito perfeito do indicativo	
Eu houve	Eu reouve.
Tu houveste	Tu reouveste.
Ele houve	Ele reouve.
Nós houvemos	Nós reouvemos.
Vós houvestes	Vós reouvestes.
Eles houveram	Eles reouveram.

Verbo haver	Verbo reaver
Presente do indicativo	
Eu hei	–
Tu hás	–
Ele há	–
Nós havemos	Nós reavemos
Vós haveis	Vós reaveis
Eles hão	–

7

Verbo MANTER

Conjuga-se pelo verbo **ter**.

Teremos, então:

Eu **mantive** (e **não**, manti) a palavra empenhada.
Ele **manteve** (e **não**, manteu) a palavra.
Nós **mantivemos** a palavra.
Vós **mantivestes** a palavra.
Eles **mantiveram** (e **não**, manteram) a palavra.

8

Verbo INTERVIR

Conjuga-se pelo verbo **vir** (e não pelo verbo **ver**).

E teremos:

O rapaz **interveio** (e **não**, interviu) na discussão.

Entreter também se conjuga pelo verbo **ter**:

Ele se **entreteve** (e não, se entre-teu) e perdeu a aula.

O pretérito perfeito assim se conjuga:

Vir	Intervir
Eu vim	Eu intervim
Tu vieste	Tu intervieste
Ele veio	Ele interveio
Nós viemos	Nós interviemos
Vós viestes	Vós interviestes
Eles vieram	Eles intervieram

9

Para eu / Para mim

A construção correta é:

Este trabalho é **para eu fazer** (e não, para mim fazer).

É certo, também, dizer:

Este trabalho é **para mim.**

Atenção, porque você pode encontrar construções assim:

Para mim, fazer esse trabalho não será difícil.

Note, no entanto, que quando aparece o **mim**, antes do infinitivo, há uma vírgula separando o **mim** da forma infinitiva.

Na verdade, a frase citada está na ordem inversa. A ordem direta seria:

Fazer esse trabalho não é difícil **para mim.**

10

Entre Mim e Ti

Os pronomes **eu** e **tu** funcionam como sujeito ou predicativo do sujeito, não admitindo preposição. Havendo preposição, usam-se os pronomes oblíquos **mim** e **ti**.

Não se deve dizer:

Entre **eu** e **tu** não existe mais nada, mas sim, entre **mim** e **ti** não existe mais nada.

Entre **mim** e **você** não existe mais nada.

11

Pronome Possessivo

O pronome **seu** (e flexões) deve ser evitado, porque, frequentemente, dá ambiguidade à frase.

Observe:

Marina traiu o esposo com **seu** professor de Matemática. (Com o professor dela ou do esposo?).

João chamou Maria para estudar na **sua** casa. (Na casa de quem?).

Ainda quando não dá ambiguidade, o possessivo **seu** enfeia a frase, por torná-la sibilante, como no exemplo:

Chico César lança hoje **seu** segundo CD.

12

Dá / Dar

Dá é a terceira pessoa do singular do presente do indicativo. **Dar** é o infinitivo do verbo. Para não confundir os dois, não há fórmula infalível, a não ser o contato permanente com textos. Mas, de um modo geral (em 90% dos casos), **dá** vem isolado e **dar**, por ser infinitivo, vem acompanhado de outro verbo.

Exemplo:

Ele **dá** muito trabalho, mas é preciso **dar** uma chance.

13

Alerta / Menos

Alerta será invariável quando advérbio e variável quando substantivo.

Exemplos:

O soldado estava **alerta**.

Os soldados estavam **alerta**. (alerta = advérbio).

A população ouviu os alertas dos bombeiros. (alerta = substantivo).

Havia, no show, **menos** pessoas do que eu pensava.

ATENÇÃO!

Não existe a forma **menas.**

14

Meio

Quando equivale **a um pouco** é invariável; só é variável quando significa metade:

A menina estava **meio** (um pouco) tonta.

As meninas estavam **meio** (um pouco) tontas.

A moça comprou duas **meias** melancias.

Comprei duas **meias-entradas** para o show.

Comprei dois **meios litros** de leite de cabra.

15

Anexo / Em anexo

Anexo é variável; em **anexo**, invariável:

O documento segue **anexo**.
Os documentos seguem **anexos**.
A carta segue **anexa**.
As cartas seguem **anexas**.
O documento segue em **anexo**.
Os documentos seguem em **anexo**.
A carta segue em **anexo**.
As cartas seguem em **anexo**.

16

Todo / Todo o
Toda / Toda a

Todo é igual a qualquer; **todo o** é igual a inteiro:

Todo o país sentiu a morte do famoso cantor (o país inteiro).

Todo homem é mortal (qualquer homem).

17

Se não / Senão

Se não (= caso não); **Senão** (= a não ser; mácula, defeito, falha):

Se não fosse você, a porta teria caído.

Ele nada fez, **senão** apanhar.

Ele só tem um **senão:** é muito avarento.

18

EM VEZ DE / AO INVÉS

Em vez de significa em lugar de; **ao invés** significa ao contrário.

Em vez de colocar roupa na mala, ele colocou somente livros.

Ao invés de chorar, a viúva estava sorrindo.

19

TÃO POUCO / TAMPOUCO

Tão pouco (= muito pouco); **tampouco** (= e nem).

Ele estudou **tão pouco** que não poderia mesmo passar.
Ele não veio; **tampouco** (= e nem) deu explicação.

20

A FIM / AFIM

A fim significa com a finalidade de.

Afim significa afinidade; parentesco.

Exemplos:

Ele esteve aqui, **a fim** (= com a finalidade de) de falar com você.

Não se deve magoar uma pessoa **afim** (= parente).

21

De encontro a / Ao encontro de

De encontro a significa contrário a; **ao encontro de** significa em direção a:

Suas ideias vão **de encontro** às minhas (= são contra as minhas).

Suas ideias vão **ao encontro** das minhas (= são semelhantes às minhas).

22

Mal / Mau

Mal é o contrário de bem e **Mau,** o contrário de bom.

Aquele zagueiro atuou **mal** (não jogou bem), mas não é **mau** jogador (é um bom jogador).

23

BASTANTE

Será invariável quando der ideia de intensidade, equivalendo a **um pouco**; será variável quando indicar quantidade.

O professor estava **bastante** (= um pouco) nervoso.

Os professores estavam **bastante** (= um pouco) nervosos.

A mulher comprou **bastantes** (= muitas) laranjas na feira.

24

MESMO

Não flexionará quando equivaler a **realmente**. Será variável (flexionará) quando equivaler a próprio (a):

- Ele fez **mesmo** (= realmente) o trabalho?
- Eles fizeram **mesmo** (= realmente) o trabalho?
- Ela **mesma** (= própria) fez o trabalho.
- Elas **mesmas** (= próprias) fizeram o trabalho.

25

Verbo VER

O Futuro do Subjuntivo do verbo **ver** é:

Quando eu **vir**.
Quando tu **vires**.
Quando ele **vir**.
Quando nós **virmos**.
Quando vós **virdes**.
Quando eles **virem**.

Exemplo:

Quando você o **vir**, diga-lhe algumas verdades.

26

VERBO PREFERIR

A regência do verbo preferir é preferir uma coisa **a** outra:

Quando chove, **prefiro** ler um bom livro **a** ir ao shopping.

Você deve, então, dizer. "Prefiro ficar em casa a ir ao shopping". E não: "Prefiro ficar em casa do que ir ao shopping".

27

Mas / Mais

Mas é conjunção adversativa; dá uma ideia contrária à que já foi citada.

Iria ao cinema, **mas** não fui.

Mais dá ideia de soma, companhia, conclusão de pensamento.

"Eu te quero ainda, mas não te amo **mais**".
Dois **mais** dois são quatro.
Eu vou **mais** você ao show. (Construção de gosto popular).

28

AVISAR / PREVENIR / INFORMAR

Os verbos **avisar**, **prevenir** e **informar** têm a mesma regência. Você deve usá-los da seguinte maneira:

Avisar alguém de alguma coisa,ou
Avisar a alguém alguma coisa.

Temos, então, como corretas, duas construções:

Avisei você de que o show iria começar, ou
Avisei a você que o show iria começar.

No caso de usarmos os pronomes **o** e **lhe**, faremos a regência da seguinte maneira:

Avisei-o de que o show iria começar,ou
Avisei-lhe que o show iria começar.

Note: havendo o **de**, não há o **lhe** .

29

Este / Esse

No discurso escrito, quando você se referir a um elemento que vai aparecer no texto, deve usar **este**; quando o elemento já foi citado, usará **esse**:

O meu problema é **este**: apaixonar-me demais.

Apaixonar-me demais; **esse** é o meu problema.

ATENÇÃO!

Quando você comparar dois elementos, **este** se referirá ao mais próximo e aquele ao mais distante.

Senna e Piquet foram bons pilotos; **este** melhor do que **aquele**.

No caso, estaremos dizendo que Piquet foi melhor Piloto do que Senna. Caso quiséssemos dizer o contrário, inverteríamos as posições.

30

VERBO VISAR

A regência do verbo **visar**, no sentido de **aspirar**, **querer conseguir** é transitivo indireto; no sentido de **dar o visto**, **visar** um alvo é transitivo direto:

O rapaz **visa** a um bom emprego.
O funcionário **visou** o cheque.
O soldado **visou** o alvo e atirou.

31

VERBO ASSISTIR

A regência do verbo **assistir**, no sentido de **presenciar, ver**, é transitivo indireto; no sentido de **dar assistência** é transitivo direto*. No sentido de **morar** (atualmente em desuso) é intransitivo.

Exemplos:

Assistimos, ontem, **ao** jogo do Brasil.

O médico **assistiu o** jogador, quando este se machucou.

Assisto, atualmente, em João Pessoa.

* Alguns gramáticos consideram que o verbo assistir, no sentido de dar assistência, pode ser usado como direto ou indireto, indistintamente.

32

QUERER

É transitivo direto quando se refere a, simplesmente, **desejar.**

Exemplo:

"Eu **quero** uma casa no campo"...

No sentido de **amar** é transitivo indireto.

"Eu lhe **quero** tanto, menininha..."

33

Ortografia (I)

Emprego da letra J

A letra **j** é usada, entre outros, nos seguintes casos:

- nas palavras derivadas de palavras terminadas em **ja**.

Ex.: gorjeta (vem de gorja = garganta); laranjal (laranja).

- em todas as formas dos verbos terminados em **jar**.

Ex.: enferru**j**ar: enferru**j**ei; via**j**ar: via**j**ei.

34

ORTOGRAFIA (II)

Emprego da letra S

A letra **s** é usada, entre outros, nos seguintes casos:

- Em todas as formas dos verbos querer e pôr (e derivados):

Ex.: qui**s**; qui**s**esse; pu**s**; pu**s**eram; compu**s**eram; propu**s**eram.

- o sufixo **ês** indicando procedência.

Ex. chinês, burgu**ês**; holand**ês**; pequin**ês** (de Pequim).

- Em geral, depois de ditongo: causa; coisa.

- Nos sufixos **esa** e **isa**, formadores de femininos: duquesa; baronesa; poetisa; francesa.

Nos verbos terminados em **isar**, derivados de palavras que já têm a letra **s** no final do radical; fri**s**ar (fri**s**o); parali**s**ar (parali**s**ia); ali**s**ar (li**s**o); pi**s**ar (pi**s**o).

Exceção: categui**z**ar (cateque**s**e); sinteti**z**ar (sínte**s**e).

35

ORTOGRAFIA (III)

Emprego da letra Z

A letra **z** é usada, entre outros, nos seguintes casos:

Nos substantivos abstratos femininos derivados de adjetivo.

Ex.: rapide**z** (rápido); sensate**z** (sensato); leve**z**a (leve).

Nos verbos terminados em **izar**, derivados de palavras que não têm a letra **s** no fim do radical.

Ex.: atuali**zar** (atual); dinami**zar** (dinâmico).

36

Ortografia (IV)

Emprego da letra X

Essa letra é usada, entre outros, nos seguintes casos:
Em geral, depois de ditongo.

Ex.: fei**x**e, amei**x**a, trou**x**a.

Exceção:

A palavra caucho e seus derivados (recauchutar, recauchutagem, etc.) são escritos com **ch**.

Em geral, depois de sílaba inicial **en**.

Ex.: en**x**ame, en**x**ó, en**x**ugar, en**x**urrada.

Exceções:

En**ch**arcar (charco); en**ch**er, en**ch**ente (cheio); en**ch**umaçar (chumaço); en**ch**ova (nome de um peixe).

37

Acentuação Gráfica

Todas as palavras proparoxítonas são acentuadas.

Exemplos: lâmpada, fôlego, álibi, déficit...

Acentuam-se os oxítonos terminados em **a**, **e**, **o** (seguidos, ou não, de **s**); **em, ens.**

Exemplos: cajá(s); café(s), você(s), jiló(s), armazém, porém, parabéns.

Observação: Quando da combinação **forma verbal** + **pronome resultar** um elemento oxítono, a regra acima deve ser observada.

Exemplos:

Vou conquistar aquela garota.
Vou **conquistá-la**.
Vou rever aquela garota.
Vou **revê-la**.
Vou propor o acordo.
Vou **propô-lo**.

Observe:

Vou conseguir o emprego.
Vou **consegui-lo**.

Acentuam-se os monossílabos tônicos em **a**, **e**, **o**, seguidos, ou não, de **s**:
Pá(s)
Pé(s)
Pó(s)

Exemplo:

Vou fazer pós-graduação em Direito Eleitoral.

OBSERVAÇÃO:

Quando da combinação **forma verbal + monossílabo tônico**, a regra acima deve ser usada.

Exemplo: Vou pôr o livro na mesa. Vou **pô-lo**.

Acentuam-se os paroxítonos terminados em:

R: revólver.
L: fácil.
N(S): próton(s).
X: tórax.
PS: bíceps.
I(S): júri(s).
U(s): bônus.
UM/UNS: álbum; álbuns.
Ã(s): órfã(s).
ÃO(s): órfãos.

E os terminados em ditongo:

Exemplos: espontâneo, mágoa, contemporâneo.

ATENÇÃO!

Os paroxítonos terminados em **ens** não são acentuados graficamente. Por esse motivo, **hífen** tem acento, mas

hifens, não; **pólen** tem acento, mas **polens**, não. Note que jovens também não leva acento.

Acentuam-se os hiatos em i e u, desde que **uma dessas letras**:

- fique isolada na sílaba;
- esteja seguida de **s**;
- não esteja seguida de **nh**;
- não esteja seguida de ditongo (alteração efetuada pela nova regra).

Observe:

Juiz/ juízes
Raiz/ raízes
Tambaú
Saíste
Saída

Note que juiz e raiz não têm acento porque o **i** não está isolado na sílaba.

Note que rainha não tem acento, por estar o **i** seguido de **nh**.

ATENÇÃO!

Feiura perdeu o acento porque o **u** está precedido de ditongo (nova regra).

Observação: Quando da combinação **forma verbal + pronome** resultar um elemento que seja **hiato**, a regra citada deve ser observada.

Exemplos:

Vou construir a casa.
Vou construí-la.

Não se acentuam mais os hiatos em **ee** e **oo** (fechados):

O voo da perdiz encanta.
Eles leem muito, mas leem mal.
Eles veem as coisas de forma deturpada.
Eles não creem em horóscopo.
Espero que eles me deem uma chance.

ACENTOS DIFERENCIAIS

Mantiveram-se os diferenciais pôde (passado) / pode (presente); pôr (verbo) / por (preposição).

Exemplos:

Ele não pôde vir à aula ontem, mas pode vir hoje.

Por alguns instantes, ele quis pôr obstáculos à proposta.

É opcional o acento diferencial de fôrma/forma.

Exemplo:

A fôrma do bolo tinha a forma de coração.

CUIDADO!

As formas **têm** e **vêm** da terceira pessoa do plural dos verbos ter e vir não perderam o acento. Não são acentos diferenciais. De modo que continuaremos escrevendo:

Ele **tem** mania de perseguição.
Eles **têm** mania de perseguição.
Ele nem sempre **vem** às reuniões.
Eles nem sempre **vêm** às reuniões.

38

Uso do Porquê (I)

Usa-se **por que** (separado e sem acento):

a) Nas frases interrogativas, diretas ou indiretas, no início ou meio da frase:

Por que ela não veio?

Não sei **por que** ela não veio.

No segundo caso, (interrogativa indireta), para você perceber qual é o porquê basta colocar, depois dele, a palavra **motivo**. Se der certo, será **por que** (separado e sem acento).

Ex.: Não sei **por que** (motivo) ela saiu tão chateada.

Não é fácil?

b) Quando o porquê for substituível por **pelo qual** e **flexões**.

Exemplo: Os motivos **por que** (pelos quais) vou embora, não te direi.

39

Uso do Porquê (II)

Usa-se **por quê** (separado e com acento) em finais de frases, sejam elas interrogativas, ou não.

- Amo-te, nem eu mesmo sei **por quê.**
- Por que me abandonaste? **Por quê?**
- Amo-te e vou te dizer **por quê.**

40

USO DO PORQUÊ (III)

Usa-se o **porquê** (junto e com acento) quando ele for substantivo. Nesse caso, virá, **obrigatoriamante**, acompanhado do artigo **o**. Será, portanto, **o porquê**.

Uma fórmula para perceber o porquê substantivo é substituí-lo pela palavra **motivo**. Se der certo, será **porquê** (junto e com acento).

Ex.: Não sei o **porquê** (motivo) de teres ido embora.

41

USO DO PORQUÊ (IV)

Usa-se **porque** (junto e sem acento) nos casos não citados anteriormente. Esse porque aparece em frases afirmativas, no começo, ou meio da frase. Tais frases indicam **causa** ou **explicação.**

Exemplos: Não vá à festa, **porque** haverá briga (explicação).

Não vou à festa **porque** estou doente (causa).

Esse **porque** (junto e sem acento) equivale a **pois.**

42

REGRA GERAL DE CONCORDÂNCIA VERBAL

O verbo concorda com o **núcleo** do sujeito.

É errado escrever:

Existiu muitas discussões naquela reunião.

O certo é:

Existiram muitas discussões naquela reunião.

Parece uma dica banal, mas muita gente erra essa regra tão simples.

43

Pronomes de Tratamento

Fazem concordância com a **terceira pessoa**, e não com a segunda.

Ex.: Vossa excelência irá à inauguração?

Ainda sobre pronomes de tratamento:

Se você estiver falando **diretamente** com a autoridade, usará **vossa excelência** (vossa senhoria, etc.); mas se estiver falando sobre a autoridade, usará **sua excelência** (sua senhoria, etc.).

Exemplos:

Vossa excelência irá mesmo ao comício?

Sua excelência não está aqui, mas ficará alegre com a notícia.

ATENÇÃO!

Muita gente costuma usar **vossa** (e flexões) para concordar com o pronome de tratamento. Na verdade, deve-se usar pronome de terceira pessoa **seu** (e flexões):

Vossa Excelência deixou **seu** (e não, vosso) paletó lá fora.

44

Na indicação de Datas

Usaremos o seguinte critério:

Se **não houver a palavra dia**, o verbo concordará com o numeral da data; **havendo a palavra dia**, o verbo ficará no singular.

Exemplos:

Hoje **são** 19.
Amanhã **serão** vinte.
Ontem **foram** 18.
Hoje **é** primeiro.

Hoje **é** dia primeiro.
Hoje **é** dia dois.
Hoje **são** dois.

45

NOMES PLURALIZADOS

A concordância correta é:

Havendo artigo, o verbo concorda com o artigo; não havendo, o verbo ficará no singular:

Os Estados Unidos **destruíram** a União soviética.

Estados Unidos **destruiu** a União soviética.

Os Estados Unidos **são** uma grande potência.

Estados unidos **é** uma grande potência.

46

PRONOMES RELATIVOS QUE / QUEM

Quando o sujeito da frase for o pronome relativo **que**, o verbo concordará com o antecedente **do quê**.

Quando o sujeito for **quem**, o verbo ficará na terceira pessoa do singular.

Exemplos:

Sou eu **que** pago a conta.
Somos nós **que** pagamos a conta.
Sou eu **quem** paga a conta.
Somos nós **quem** paga a conta.

47

Verbo SER

Dica:

Na concordância do verbo **ser**, quando o sujeito e o predicativo forem substantivos, **pessoa** ganha de coisa; **substantivo** próprio ganha do comum; **concreto** ganha do abstrato; **pronome pessoal** ganha do substantivo e **pronome não pessoal perde** para o substantivo.

Então, observe a maneira de falar (e escrever):

- O **homem** (pessoa) **é** cinzas (coisa).
- **Lula** (próprio) **é** muitos presidentes (comum)?

- O **neto** (concreto) **era** as alegrias (abstrato) do avô.
- O **poeta** (substantivo) aqui **sou** eu (pronome pessoal).
- Nem tudo (pronome não pessoal) **são flores** (substantivo) na vida.

ATENÇÃO!

Esta é a construção correta.

OBSERVAÇÃO:

No caso de empate, o verbo **ser** deve ir para o **plural**. Aliás, na dúvida, prefira o **plural**, porque este casa melhor com o verbo em questão.

48

VÍRGULA (I)

Não se separam por vírgula:

O sujeito do verbo; o verbo do objeto; o nome do complemento nominal; o nome do adjunto adnominal; o nome do aposto especificativo.

Exemplos:

A vida daqueles homens, estava em perigo (não deve haver vírgula depois da palavra homens, porque **a vida daqueles homens** é sujeito de estava).

Ele esperava, que a mulher fosse embora. (Não deve haver vírgula depois de esperava, porque a oração **que a mulher fosse embora** é objeto direto de esperava).

Ele tinha receio, de que ela voltasse. (Não deve haver vírgula depois de receio, porque a oração de **que ela voltasse** é complemento nominal de receio).

O povo, de Campina Grande, é hospitaleiro. (Não deve haver vírgula isolando a expressão **de Campina Grande**, porque ela é adjunto adnominal de povo).

A cidade, de Campina Grande, tem um bom São João. (Não deve haver vírgula isolando a expressão **de Campina Grande**, porque esta é um aposto especificativo).

Observe a frase:

O homem de barba pedia à mulher que esquecesse o nome daquela garota ruiva.

Viu? Não há uma só vírgula. Vírgula é pausa, mas nem toda pausa é vírgula.

A Vírgula, nas orações coordenadas, deve ser colocada **antes** da conjunção, e não depois.

Exemplos:

Eu iria ao cinema, mas não fui. (Note que a vírgula não é depois do mas, e sim, **antes**).

Não vá à festa, pois haverá confusão.

Somente se admite a vírgula depois do conectivo, quando há um elemento **intercalado**. Nesse caso, a vírgula não é devido **à conjunção**, e sim, **ao termo intercalado**.

Exemplo:

Iria ao cinema, mas, **por falta de tempo**, não fui.

49

VÍRGULA (II)

Nas orações coordenadas ligadas por **e**, devemos observar o seguinte:

Se os sujeitos das orações forem **diferentes**, haverá a vírgula; caso contrário (as orações têm o mesmo sujeito), não haverá vírgula.

Note:

O homem beijou a mulher e saiu (um só sujeito: o homem).

O homem deixou a mulher no shopping, e ela foi fazer compras (sujeitos diferentes).

É raro haver vírgula depois de **e** e **que** (mas como o pessoal coloca!). Só haverá vírgula depois de **e** e **que** se houver intercalação.

Exemplos:

O réu admitiu que chegou a apontar a arma para a vítima (não há vírgula após **o quê**).

O réu admitiu que, **ao chegar a casa**, apontou a arma para a vítima.

O réu apontou a arma para a vítima, disse-lhe uns palavrões e saiu.

O réu apontou a arma para a vítima, disse-lhe uns palavrões e, quando saía do local, atirou.

O réu deu um soco na vítima, e, mesmo estando ferida, ela reagiu.

O réu apontou a arma para a vítima, que, mesmo ferida, reagiu.

50

CRER, DAR, LER, VER

Verbos que duplicam a letra **e**, na Língua Portuguesa:

Crer
Ler
Dar
Ver } e derivados

Ele crê	Eles **creem**
Ele lê	Eles **leem**
(que) Ele dê	(que) Eles **deem**
Ele vê	Eles **veem**

ATENÇÃO!

Os verbos ter e vir (e derivados) não duplicam a letra **e**:

Ele **tem**	Eles **têm**
Ele **vem**	Eles **vêm**

51

OBJETO DIRETO / OBJETO INDIRETO

Como reconhecer se um verbo é transitivo **direto** ou **indireto**.

O verbo transitivo **direto** exige um complemento para a pergunta **o quê**? ou **quem**?

O homem comprou (o quê?) uma fazenda.

Conheci (quem?) sua namorada.

VTD perguntas .... o quê?
.... quem?

O verbo transitivo **indireto** exige um complemento para as perguntas:

De quê? (De quem?)
A quê? (A quem?)
Com quê? (Com quem?)
Em quê? (Em quem?)

Exemplos:

Gosto (de quê) do seu sorriso.
Gosto (de quem) de você

Eu me referi (a quê?/a quem) { A você. / Ao seu sorriso.

Não acredito (em quê) { Nas suas palavras.

(em quem) { em você.

Observação: Nas frases em que o verbo for de ligação, evidentemente não haverá os objetos citados, ainda que tais perguntas apareçam.

ATENÇÃO!

A distinção feita nesta dica é **básica** para se aprender **crase, pontuação, concordância e regência**.

52

Regra Geral da Crase

Usa-se a crase quando tivermos um verbo (ou nome) transitivo indireto que exija a preposição **a** e se junte a uma palavra feminina que exija o artigo **a**; ou um verbo (ou nome) transitivo indireto que exija a preposição **a** e se junte aos pronomes demonstrativos aquele, aqueles, aquela, aquelas, aquilo. Observe o diagrama (forma mais prática de entender o uso da crase).

REGRA GERAL DA CRASE

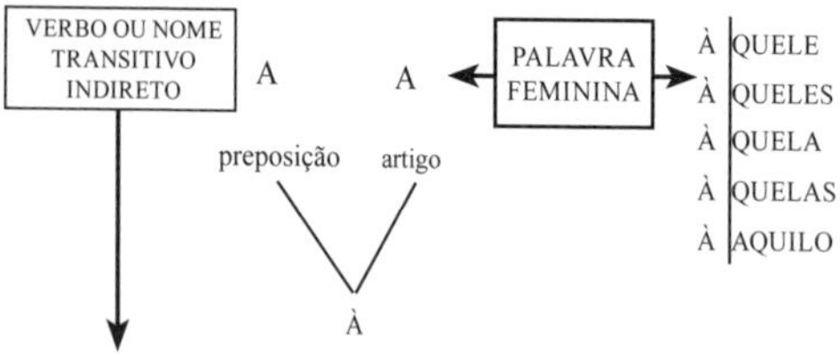

Eu me **referi** À **moça** de azul.

VTI — **Palavra feminina**

Eu me **referência** À **moça** de azul.

Nome Transitivo Indireto — **Palavra feminina**

ATENÇÃO!

Nem toda palavra feminina exige o artigo **a**. As palavras femininas usadas em sentido genérico não exigem o artigo **a**, não admitindo, portanto, a crase.

Observe o exemplo:

O promotor se dirige a homem ou a mulher sempre de forma cordial.

Note que não poderá haver crase!

O raciocínio é o seguinte:

O promotor se dirige a (qualquer) homem ou a (qualquer) mulher, sempre de forma cordial.

Outro exemplo:

Encontrando-se provido o cargo, o seu eventual ocupante será reconduzido ao cargo de origem, **sem direito a indenização** ou aproveitado em outro cargo, ou, ainda, posto em disponibilidade. (Lei 8.112/1990, artigo 28, parágrafo 2º).

Mais um:

"São invioláveis a intimidade, a vida privada, a honra e a imagem das pessoas, assegurado o **direito a indenização** pelo dano material e moral decorrente de sua violação". (Constituição Federal, art. 5º, inciso X).

53

Pronome Se

Se o verbo for **transitivo direto** e estiver acompanhado do pronome **se**, o verbo concordará com o sujeito. Deve-se dizer, então, **fizeram-se** as compras (as compras foram feitas); **compraram-se** vários sapatos (vários sapatos foram comprados); **alugam-se** gambiarras.

Quando o verbo for **transitivo indireto**, ou **intransitivo**, acompanhado do **se**, ficará na terceira pessoa do singular.

Exemplos:

Precisa-se de motoristas.

Concordou-se com os planos.

Vive-se bem aqui.

54

PESSOAS GRAMATICAIS

Na mistura de pessoas gramaticais, a 1ª "ganha" da 2ª e da 3ª, e a 2ª "ganha" da 3ª.

Eu, tu e teu irmão **iremos** à festa.
Tu e ela **ireis** à festa.

Redação e Estilo

COMO ESCREVER BEM

Escrever bem é ser simples, claro, direto e objetivo. Já dizia o mestre Drumond: "Escrever é cortar palavras"; ou, como diria o mestre Graciliano, escrever é "rasgar, rasgar e... rasgar!".

DICAS FUNDAMENTAIS

1. Escrever bem é ser simples, claro, direto e objetivo.
2. Evite parágrafos e períodos longos; prefira os curtos.
3. Prefira a coordenação à subordinação.

LEMBRE-SE:

Quanto mais longo for um parágrafo, mais há a possibilidade de erros gramaticais, sobretudo na pontuação, e o texto se tornará abusivo para o leitor.

4. Prefira a ordem direta da frase. Por que dizer: "Ao cemitério, ontem, foi toda a família", se você pode dizer: "Toda a família foi ao cemitério, ontem"?
5. Não abuse do quê, nem dos adjetivos.

Observe esta frase, deveras ridícula:

"Aquela linda e bela moça morava numa maravilhosa mansão que ficava localizada na praia de Tambaú".

Por que não dizer:

"Aquela moça morava numa mansão, localizada em Tambaú"?

Mas se você fizer questão de adjetivar, por que não dizer:

"Aquela bela moça morava numa mansão localizada em Tambaú"?

Gente! O adjetivo é feito para qualificar, e não para enfeitar a frase.

Por exemplo:

Por que dizer:

"Um belo dia, ela resolveu sair de casa"? Por que o belo? Belo, aí, não qualifica; é uma expressão inútil.

O mesmo não se afirme, quando você diz: "Que bela moça; parece uma atriz!" Aí, sim, o adjetivo (belo) está qualificando.

6. Corte pronomes retos e possessivos. Os primeiros, normalmente, já estão implícitos na desinência verbal; os segundos devem ser evitados, sobretudo o possessivo "seu", que, muito geralmente, dá ambiguidade à frase.

"João convidou Pedro para estudar em sua casa". Na casa de quem? De João ou de Pedro?

7. Antes de escrever qualquer texto, você deve organizar um roteiro, obedecendo à velha (mas eficaz!) fórmula: introdução, desenvolvimento e conclusão.

Imagine a seguinte situação: Você vai pedir um aumento ao seu patrão. Claro que, enquanto o espera, você vai organizar as ideias antes de falar, não vai? A mesma coisa, portanto, deve fazer quando for redigir um texto: é necessário organizar as ideias na cabeça, antes de passá-las ao papel. Quem redige tem que, no mínimo, saber como vai começar e como vai terminar.

GUIA PRÁTICO DA NOVA ORTOGRAFIA

(Método Instrumental)

EXPLICAÇÃO NECESSÁRIA

O que é o método instrumental?

Consiste em fornecer a teoria, deixando que os exemplos sejam construídos pelo leitor, a partir do modelo dado. O leitor deve ler, atentamente, a teoria e tentar fazer os exercícios, sem consultar o gabarito.

O gabarito se encontra no final do livro.

Como se sabe, entraram em vigor, dia 1º de janeiro de 2009, alterações no sistema ortográfico brasileiro, em relação à Acentuação Gráfica, notação léxica (trema) e uso do hífen.

Faz-se necessária, portanto, uma atualização nesse sentido.

O QUE MUDA

ALFABETO: Passa a ter as letras K, W e Y.

ATENÇÃO!

O uso de tais letras fica restrito a alguns casos, como já ocorre atualmente.

Exemplos:

Em nomes de pessoas e seus derivados: Darwin, darwinismo; Byron, byroniano, etc.

- Em nomes próprios de lugares, originários de outras línguas, e derivados: Kuwait, kuwaitiano; Washington.
- Em símbolos, abreviaturas, siglas e palavras adotadas como unidades de medidas

internacionais: Km (quilômetro); K (potássio); W (watt); WWW (Word wide web).

- Em palavras estrangeiras incorporadas à língua: show; sexy; download; megabyte, etc.

TREMA

Deixou de existir.

Antes: tranqüilo, tranqüilamente, conseqüência, conseqüentemente, cinqüenta, lingüiça.

Agora: ....

....

....

OBSERVAÇÃO:

A mudança foi apenas na escrita. Deve-se continuar pronunciando [tranqüilo],[lingüiça], etc.

ATENÇÃO!

Mantém-se o trema em palavras estrangeiras: Citröen; Bündchen; Müller, etc.

ACENTO AGUDO NO U

Deixou de existir o acento agudo no **u** tônico, antecedido de **g** ou **q** e seguido de **e** ou **i**.

Antes: Averigúe; obliqúe.

Agora: ....
....
....

HIATOS EM EE E OO (FECHADOS)

Deixaram de ter o acento.

Antes: vôo, perdôo/crêem, lêem, dêem, vêem.

Agora: ....
....
....

DITONGOS ABERTOS EM ÉI,ÓI

Deixaram de ser acentuados os ditongos abertos em éi, ói, nas palavras paroxítonas.

Antes: Heróico, idéia, assembléia, paranóico.

Agora: ....
....
....

ATENÇÃO!

Observe que as palavras oxítonas que têm os referidos ditongos continuam acentuadas.

Note: Herói (com acento); heroico (sem acento).

PAROXÍTONOS

Perdem o acento as vogais **i** e **u** tônicas das palavras paroxítonas quando tais letras estiverem precedidas de ditongo.

Antes: feiúra, bocaiúva, cauíra.

Agora: ....
....
....

ACENTO DIFERENCIAL

Não se usará mais o acento diferencial das palavras homógrafas:

1. pára (verbo) para diferenciar de para (preposição).
2. pélo (verbo pelar) para diferenciar de pelo (contração); péla (verbo) para diferenciar de pela (contração).
3. pêlo (substantivo), para diferenciar de pelo (contração).
4. pólo (jogo, extremidade), para diferenciar de pô-lo (verbo + pronome oblíquo átono) e pôlo (filhote de gavião); este último também perdeu o acento.

Antes: Ele não pára para pensar.

Agora: ....

....

....

Antes: Pélo o pêlo do carneiro pelo caminho.

Agora: ....

....

....

Antes: No jogo de pólo aquático, meu time estava no pólo oposto ao outro.

Agora: ....

....

....

Antes: Esta pêra é deliciosa.

Agora: ....

....

....

Antes: O pôlo era muito engraçadinho.

Agora: ....

....

....

ATENÇÃO!

Mantiveram-se os diferenciais pôde (passado) / pode (presente); pôr (verbo) / por (preposição).

Exemplos:

Ele não pôde vir à aula ontem, mas pode vir hoje.

Por alguns instantes, ele quis pôr obstáculos à proposta.

É opcional o acento diferencial de fôrma/forma.

Ex.: A fôrma do bolo tinha a forma de coração.

CUIDADO!

As formas **têm** e **vêm** da terceira pessoa do plural dos verbos ter e vir não perderam o acento. Não são acentos diferenciais. De modo que continuaremos escrevendo:

Ele **tem** mania de perseguição.
Eles **têm** mania de perseguição.
Ele nem sempre **vem** às reuniões.
Eles nem sempre **vêm** às reuniões.

Hífen

Não se usará mais:

a) Quando o segundo elemento começar com **r** ou **s**, devendo tais consoantes ser duplicadas.

b) Antes: Anti-religioso; anti-semita; contra-regra; infra-som.

Agora: Antirreligioso; antissemita; contrarregra; infrassom.

Exceção:

Será mantido o hífen quando o prefixo terminar em **r**:

Hiper-requintado; inter-resistente; super-homem.

Quando o prefixo terminar em vogal e o segundo elemento começar com vogal diferente.

Antes: extra-escolar; aero-espacial.

Agora: extraescolar; aeroespacial.

Antes: infra-estruura.

Agora: infraestrutura.

O hífen passa a ser usado:

Quando o segundo elemento se inicia por vogal idêntica à vogal final do prefixo, ou por **h**.

Antes: microondas; arquiinimigo.

Agora: micro-ondas; arqui-inimigo.

ATENÇÃO!

O VOLP (Vocabulário Ortográfico da Língua Portuguesa) manteve a forma **reeleição**.

Usa-se o hífen:

1. Nos prefixos: agro, anti, ante, auto, contra, extra, infra,

intra, macro, mega, maxi, mini, semi, sobre, supra, tele, ultra.

Quando a palavra seguinte começar com **h** ou vogal igual à última do prefixo.

Exemplos: Auto-hipnose, anti-herói, anti-imperialista, micro-ondas, mini-hotel.

2. Após **hiper**, **inter** e **super**, quando a palavra seguinte começar com **h** ou **r**.

Exemplos: Super-homem, inter-regional.

3. Após **sub**, quando a palavra seguinte começar com **b**, **h** ou **r**.

Exemplos: Sub-reino, sub-base.

ATENÇÃO!

O VOLP resolveu aceitar as expressões subumano e sub-humano.

4. Após **vice**: vice-presidente, vice-diretor.

5. Após **pan** e **circum**, quando a palavra seguinte começar com **h**, **m** ou **n** ou vogais: pan-americano, circum--hospitalar.

6. O prefixo **co** admitirá hífen quando o segundo elemento for iniciado por **h**: co-herdar.

ATENÇÃO!

Estranhamente, o VOLP (Vocabulário ortográfico da Língua Portuguesa) preferiu a forma coerdar (!).

7. **Mal** admitirá hífen diante de **l**, **h** e vogal: mal-limpo; mal-humorado.

8. **Bem** – o hífen desaparece nas palavras citadas no acordo e correlatas.

Antes: bem-feito; bem-querer; bem--vinda.

Agora: benfeito; benquerer; benvinda.

ATENÇÃO!

O VOLP decidiu aceitar as formas bem-vinda e benvinda; bem-feito e benfeito.

Algumas palavras compostas perderam o hífen.

Antes: manda-chuva; pára-quedas.

Agora: mandachuva; paraquedas.

Nada muda em relação aos adjetivos compostos indicadores de continentes, países, estados, raças, povos.

Exemplos:

norte-americano; belo-horizontino; sul-africano.

OBSERVAÇÕES:

Houve, no acordo, muitas lacunas em relação ao emprego do hífen; para um estudo completo, o melhor mesmo é consultar o VOLP (Vocabulário Ortográfico da Língua Portuguesa).

TERMINAÇÕES

Algumas terminações em **eano** e **eense** se tornaram **iano** e **iense**:

Antes	**Agora**
acreano	acriano
torreense (de Torres)	torriense

ATENÇÃO!

Se a palavra primitiva terminar em **e** tônico, continuarão as terminações **eano** e **eense**: guineense (da Guiné-Bissau).

EXERCÍCIOS

1. Eliminar os acentos e notações léxicas das frases abaixo, quando necessário:

a) Estava tranqüilo na praia, observando o vôo das gaivotas, quando aquele chato apareceu, com certas idéias mirabolantes que ele quase sempre tem.

....

....

....

b) Ele quase sempre constrói castelos no ar; o comportamento dele lembra os paranóicos.

....

....

....

c) Não dêem crédito aos que vêem defeito em tudo.

....

....

....

d) Na aula, havia uma pessoa que chamava a atenção pelos anéis que usava.

....

....

....

e) Ele quase sempre argúi coisas sem sentido.

....

....

....

2. Reescrever as palavras abaixo (modificando, ou não), de acordo com a nova ortografia:

a. Manda-chuva:...................................

b. Pára-quedas:....................................

c. Microondas:.....................................

d. Co-edição:.......................................

e. Infra-estrutura:................................

f. Co-herdar:.......................................

g. Circum-murado:................................

h. Mal-humorado:.................................

i. Inter-relação:...................................

j. Reeleição:...

3. Corrija as palavras compostas a seguir, de acordo com a nova regra ortográfica:

a. Anti-religioso:..................................

b. Auto-estima:.....................................

c. Co-autor:...

d. Auto-estrada:....................................

e. Anti-semita:......................................

f. Anti-social:.......................................

g. Contra-regra:...................................

h. Auto-suficiente:................................

i. Auto-aprendizagem:.......................

j. Extra-escolar:...................................

h. Ultra-som:..

GABARITOS

Complementação da Teoria

1. Trema (pág. 104)
   Tranquilo; tranquilamente; consequência; consequentemente; cinquenta; linguiça.

2. Acento agudo no u (pág. 105)
   Averigue; oblique.

3. Hiatos em **ee** e **oo** (fechados) (pág. 105)
   Voo; perdoo; creem; leem; deem; veem.

4. Ditongos abertos em éi, ói (pág. 106)
   Heroico; ideia; assembleia; paranoico.

5. Paroxítonos (pág. 106)
   Feiura; baiuca; cauira.

6. Acento diferencial (pág. 107)
   Ele não para para pensar.

   Pelo o pelo do carneiro pelo caminho.

   No jogo de polo aquático meu time estava no polo oposto à entrada do ginásio.

   Esta pera é deliciosa.

   O polo era muito engraçadinho.

EXERCÍCIOS (pág. 117)

Questão 1. (pág. 117)

a. Estava tranquilo na praia, observando o voo das gaivotas, quando aquele chato apareceu, com certas ideias mirabolantes.
b. Ele quase sempre constrói castelos no ar; o comportamento dele lembra os paranoicos.
c. Não deem crédito aos que veem defeito em tudo.
d. Na aula, havia uma pessoa que chamava a atenção pelos anéis que usava.
e. Ele quase sempre argui coisas sem sentido.

Questão 2. (pág. 118)

a. Mandachuva.
b. Paraquedas
c. Micro-ondas
d. Coedição
e. Infraestrutura
f. Coerdar
g. Circum-murado
h. Mal-humorado
i. Inter-relação
j. Reeleição.

3. (pág. 119)

a. Antirreligioso
b. Autoestima
c. Coautor
d. Autoestrada
e. Antissemita
f. Antissocial
g. Contrarregra
h. Autossuficiente
i. Autoaprendizagem
j. Extraescolar
k. Ultrassom